作者·陳四月　　繪畫·多利

MISSION 1：地心歷險記

科技日新月異，虛擬現實的出現和發展一日千里，人類想要體驗非自身經歷，不再限制在文字、圖像或影像上，更多超乎想像的形式已經出現。

在科學家們稱呼它為「元宇宙」的新世界裡，只要戴上虛擬實景眼鏡和手套，我們就能與世界各地的觀眾一同置身外太空中欣賞演唱會、參與在深海中進行的賽車比賽、在金字塔中與成千上萬位選手挑戰奪寶任務……而且生命不會受到威脅。

大眾認定，元宇宙是人類文明的下一個階段。作為創意科技發展先驅的「元域集團」，創立了首間著重虛擬體驗與現實融合的教育學院——「元域學院」！學院選拔出全國極具潛能的年輕一代，培訓學生的想像力、意志力和正確價值觀。

目錄　　CONTENTS

周星彩 ///////// 14歲

活潑好動，充滿好奇心。
行動力強，常常因衝動行事而碰壁，但樂觀愛笑，不會輕言放棄。
父母經營一家小餐廳，由於他們忙於工作，所以身為長女的星彩自小身兼母職照顧四個弟妹，所以長大後很會照顧別人。

身高：155cm
血型：B
星座：射手座
興趣：只要不用乖乖坐定的事情都感興趣
專長：運動項目，特別是跑步
討厭：潮濕的天氣和下雨天
食物：只要是肉類都喜歡
道具：超凡動力鞋

陳妍書 ///////// 14 歲

個子高高，性格十分內向。
說話陰聲細氣，不擅與人交流，文靜而且
容易害羞。
出身在名門世家，父親是一流醫院的院
長，但她對醫學不感興趣。相比起繼承父
業，妍書更喜歡研究動物和植物，夢想是
擁有屬於自己的動植物公園。

身高：166cm
血型：AB
星座：雙子座
興趣：看書（特別是愛情小說），研究和
動植物相關的資訊
專長：學習能力高，琴棋書畫樣樣皆精
討厭：與陌生人接觸和交談
食物：水果和沙拉
道具：神秘生物圖鑑

韓珍妮 ///////// 14 歲

身材矮小，性格孤僻倔強。
天資聰穎，記憶力強，在學校成績優異。有點狡
猾和小器，而且脾氣有點暴躁。
家境清貧，父母自幼雙亡，由嫲嫲一手照顧。自
尊心很強，相信知識能改變貧窮的命運。珍妮的
志願是成為發明家，美其名是希望創造更多方便
人類的發明，實際上希望藉此賺取很多很多金錢。

身高：142cm
血型：O
星座：獅子座
興趣：躲在房間研究新發明
專長：過目不忘的記憶力和創新思維
討厭：比自己成績優異的人，比自己高的人
食物：所有甜食
道具：鍊金術手套

元域學院

虛擬世界內一個飄浮在白雲之上的大廣場內。

「……人類最偉大的力量，是想像力。我希望各位學生能在本學院發揮自己的潛能，突破界限，面向全世界發光發亮。」年約三十歲、創意科技界的巨頭、元域學院的院長、才華洋溢的安德森先生剛結束演說。

掌聲如雷，坐在雲朵上的年輕人們拍手歡呼，他們都是元域學院的首屆學生。而這段發生在虛擬世界的演講，正是被取錄的學生所收到的入學通知書。

只要懷抱夢想、勇於實行，世上再沒有不可能的事。在虛擬世界之內，三人成行的冒險少女組將**如繁花綻放**。

陽光普照的大街之上，一名紅髮少女正被大
群男人追趕著。

救命呀~
別再追著我了！

紮著馬尾的周星彩全速奔跑，在她身後的大人們全都是來自不同學校的體育老師。

　　「周星彩同學，你不應該浪費天賦，來我們的體育學院進修吧！」他們追著星彩的目的，是為了爭奪這位體育界的明日之星，希望親手栽培她。

　　周星彩雖然成績平庸，但運動成績優秀，是多項學界賽跑紀錄的保持者，假以時日，必定能在奧運會上發光發亮。

　　「我已經下定決心，誰也休想阻止我！」但是星彩不想任人擺佈，不想進入體育學校，更不想順理成章去當運動員。

　　活潑好動的星彩充滿好奇心，想以自己明亮的眼睛看更廣闊的世界，突破常理規限的虛擬世界，才是她嚮往的地方。

「不好，快遲到了……
看我怎樣擺脫你們！」

星彩戴上頭戴式耳筒。

其實星彩不想再在賽場上競賽，是有一個她不想告訴別人的原因。

「**Meta, on!**」星彩一聲令下，兩邊耳筒隨即往她眼前伸出透明屏幕，這是最先進的虛擬實景設備。

屏幕上呈現的語音導航小精靈向星彩說。

「我需要既能躲過後面的追兵，而又最快到達學院的路線！」星彩邊跑邊說。

「好的☆」語音導航小精靈的外形特徵全都由用戶自己選擇，星彩的小精靈和她的髮色一樣紅彤彤。

虛擬實景技術透過網絡取得路面情況，再運算出最佳路線給用戶，這項技巧已廣泛運用於汽車、船隻甚至飛機等交通工具。

很好，全速前進！

星彩拔足狂奔，跟隨屏幕指引左穿右插。

「星彩星彩★你有認識的用戶在附近★」語音小精靈連接社交網站，於是朋友們的最新動向，隨時隨地一目了然。

「是珍妮啊！」星彩看到屏幕上標示珍妮就在不遠處，馬上發出通話邀請。

虛擬實景設備的普及，令智能手機也逐漸被淘汰。

「呵……周星彩？」正在打呵欠的韓珍妮瞄了通話邀請一眼，就拒絕了通話。

「和笨蛋接觸得多會變笨的，難得本小姐不用再和這笨蛋同校，今天的空氣嗅起來也特別清新。」珍妮和星彩自小已認識，但和熱情的星彩不同，珍妮性格孤僻、喜歡獨處。

「唉呀呀呀呀！」星彩從後抱起珍妮繼續狂奔，嚇得還未睡醒的珍妮尖叫起來。

「珍妮！太過分了，你竟然不接聽我的通話！」星彩加快步伐，激烈的晃動令珍妮暈車浪想吐。

「放我下來呀⋯⋯你這四肢發達，頭腦簡單的母猩猩。」珍妮邊掙扎邊說。

「不行呀，我們快遲到了！而且不跑快一點，我會被捉去體育學院的。」星彩力氣十足，抱著珍妮奔跑也毫不費力。

「原來元域學院也取錄了你嗎？」珍妮現在才留意到星彩穿著和她一樣的校服。

「對呀！見到你實在太好了，我多怕在新環境裡沒有認識的熟人。」星彩露出燦爛的笑容。

「嘖⋯⋯我只是湊巧每次也和你同校罷了，**Meta, on.**」珍妮啟動虛擬實景裝置，要擺脫從後追趕的人們，星彩需要珍妮的協助。

「星彩，在下個路口轉左。」珍妮和星彩不同，成績優異，是**數理科學**的專才。

星彩聽候指揮，左轉跳起，跨越列車的路軌。

不消片刻，磁浮列車剛好駛過，追趕星彩的人們迫於無奈停步等待，但到列車遠去時，星彩和珍妮經已消失於他們眼前。

「成功擺脫他們了，珍妮你真厲害！」星彩興奮的說。

「你不要誤會呀，我只是不想遲到，絕對不是想幫助你的。」珍妮別過臉說。

珍妮的志願是成為發明家，創造更多方便人類生活的發明。而站在科技尖端的元域學院，正

是珍妮實踐夢想的最佳選擇。

「快到目的地了，時間剛剛好呀！」星彩看著學院大門兩眼發亮，她對將要展開的新生活充滿憧憬。

有自己的想法、懷抱夢想不想受約束的少女，還有比星彩和珍妮早一步到達的——陳妍書。

「這把聲音……是星彩嗎？」陳妍書步出豪華房車，她的性格內向，說話陰聲細氣，是個不擅與人交談的文靜女生。

出身在名門世家的陳妍書，父親是一流醫院的院長，但她對醫學不感興趣。相比起繼承父業，妍書更喜歡研究動植物，夢想是擁有屬於自己的動植物公園。

「太好了！我們三個又再同校了，我們真有緣分呢！」星彩熱情的抱住妍書，三個少女抱成一團。

「嘻嘻⋯⋯珍妮，幸會。」害羞的妍書露出尷尬的微笑。

「**放開我！**我們可不是朋友，充其量只是競爭對手！」珍妮掙脫離開，她對妍書充滿敵意。

因為珍妮從未在妍書手上搶得全校第一的寶座。妍書是名副其實的**學霸**，而且琴棋書畫樣樣皆精，再加上她富裕的家境，有如名門望族的千金小姐。

珍妮的脾氣非同小可，星彩和妍書只好目送她獨自遠去，但要在變化萬千的元域學院生活，單靠一己之力，是不可能的。

少女集結

　　元域學院的內部設計簡約時尚，銀白色的色調和炫目的藍色燈光令人有如置身科幻電影之中，走廊上的學生們都佩戴著虛擬眼鏡，感受元域學院獨有的生活體驗。

　　「幸好學院內有導航指示，不然我們在這裡一定會迷路呢。」戴上虛擬眼鏡的星彩四處張望，眼前閃亮著大大小小、飄浮在半空的路標。

　　「嗯……」妍書表現得戰戰兢兢，一想到要與新同學溝通，她就緊張害怕。

　　「啊！那邊有很多學生聚集，我們過去看看吧！」幸好有熱情主動的星彩在身邊，害羞的妍書還未反應過來，已經被牽進人群之中。

　　吸引學生駐足的鬈髮少女唱著悠揚悅耳的流行歌曲，在人群中載歌載舞，現場氣氛高漲。

她不僅是元域學院的學生，還是在虛擬世界人氣高企的偶像歌手。

「小愛！」 「小愛！」

「小愛！」

男學生們興奮歡呼，能和偶像近距離接觸實在機會難逢。

「很漂亮的女生啊！」星彩雖然是女生，也不禁被眼前美麗的少女吸引住。

「你也是小愛的粉絲嗎？一起為小愛歡呼吧！」男生們邀請星彩一同吶喊。

「啊……小愛！小愛！小愛！」本不認識小愛的星彩瞬間被迷住，脫口歡呼。

奪目耀眼的李愛夢是音樂領域的天才少女，年紀輕輕已熟練掌握多種樂器，憑著自己創作的歌曲**一舉成名**，是大人小孩都喜愛的偶像歌手。

「星彩……再不去課室便遲到了。」妍書被擠出人群，她說話的聲線微弱得被歡呼聲蓋過。

然而引起哄動的學生，不只有偶像歌手小愛，兩位耀目的男生亦吸引了不少女同學們的關注。

　　「滾開，你擋住我的去路了。」黑髮及眉的韋恩眼神凌厲，散發令人**望而生畏**的氣息。

　　韋恩的父親是位高權重的軍官，他自小已接受軍訓式的嚴厲教育，無論成績還是體能也在同齡學生中鶴立雞群，是被寄予厚望的超新星。

　　「韋恩，我們又碰面了，今後也要好好相處呀。」和傲慢嚴肅的韋恩相反，淺啡短髮的司馬流星**笑容可掬**，表現得平易近人。

　　司馬流星熟知天文科技，早前更單靠自己的本領發現未曾被發現的小行星，是有史以來發現小行星的人中最年輕的。

　　全能型高材生韋恩，與天文學才子流星，兩人不只成績優異，更擁有俊朗秀氣的外表，他們站在一起的畫面令女同學們心動❤不已，紛紛拿出手機拍照。

「嘻嘻……」當中包括害羞的妍書。

「你們……一個只顧看俊男，一個只顧盯美女，再不到課室報到就遲到了啦！」珍妮左右兩手各扭住星彩和妍書的耳朵，拉扯她們向課室進發。

「**痛痛痛痛**！珍妮？我以為你丟下我們不管了。」星彩叫苦連天的說。

「你們是來玩耍的嗎？這裡可是競爭激烈、而且精英雲集的元域學院啊！」看到星彩和妍書態度散漫，珍妮便更怒氣沖沖。

「競爭？爭什麼？」星彩一臉問號。

「得到學年第一的小組，就能在虛擬世界實現一個願望，無論你想要什麼都可以得到啊！」這是珍妮進入學院的最大目標。

「真的嗎？我想要一個擺滿大型機動遊戲設施的**超級遊樂場**啊！」豐厚的獎勵，燃起星彩發奮圖強的動力。

My Dream

「我想要……一個齊集地球上所有動物品種的**動植物公園**。」妍書也被深深吸引。

「嘩！好像很棒呢，珍妮你呢？你的願望是什麼？」少女們雄心壯志，星彩對珍妮的願望充滿好奇。

「我……我想……」珍妮垂下頭口吃著說。

「你想要什麼呀？」星彩和妍書充滿期待的問。

「我只想要個……設備齊全的**實驗室**。」夢想渺小的珍妮尷尬得想哭。

「吓？就這樣？」星彩沒想過珍妮想要的東西這麼簡單。

「哈哈……實驗室也不錯呀。」妍書試著緩解尷尬的氣氛。

「嘩呀呀呀！實驗室又如何？我承認是『**貧窮限制了我的想像力**』……但你們以為成為學年第一是這麼容易的嗎？韋恩、流星，還有

在各自領域表現卓越的優等生，這裡可是一個精英雲集的戰場呀！」珍妮老羞成怒，連珠炮發的說。

「如果想要得到小組第一，應該怎麼辦呢？」星彩問。

「知己知彼、百戰百勝，你們什麼也不知道是很吃虧的。」珍妮狡猾的笑著說。

「對啊……」妍書對元域學院和一同競爭的對手一竅不通。

「幸好本小姐還未和別人組隊，如果我勉為其難和你們一隊的話，你們還是有希望的。」珍妮自信滿滿的說。

「太好了！那我們就組成一隊吧！」星彩笑逐顏開，把珍妮和妍書拉到身邊抱在一起。

「看在相識一場……沒辦法啦！唯有由我帶領你們得到第一名啦。」珍妮故作為難，其實一切也在她的計劃之中。

較早之前，在星彩和妍書被俊男美女吸引之際，學院已向學生們發出組隊的通知，性格孤僻又彆扭的珍妮，擔心自己找不到隊友，才折返尋找星彩和妍書。

　　元域學院內盡是優秀人才，要從中脫穎而出，團隊默契是最重要的事。

精英雲集

　　純白色的環形課室內，十八名學生齊集於此，包括星彩、妍書和珍妮。

　　「真倒霉……竟然和我最不想碰到的對手同班。」珍妮一步入課室便皺起眉頭。

啊！是唱歌很好聽的小愛呀！小愛！

　　星彩興奮的揮著手說。

　　「還有剛才看到的兩個男生……嘻嘻。」妍書拿起手機偷偷拍照。

韋恩、小愛和流星站在一起，他們都是星彩的同班同學。此外還有十二個星彩不認識的新同學。

　　在這所新建立的學院裡，首屆的學生介乎十至十四歲之間；共分成五個班別，每一班十八名學生。

　　「不准支持敵人！**要爭奪第一名**，他們就是我們最大的競爭對手呀！」珍妮兩手抱著頭顫說。

　　然而有力的競爭對手不只韋恩一行人，在各自領域**鶴立雞群**的學生們，全部抱著相同的目標。

　　「錯！奪得第一名的是我才對！」戴著單邊眼罩和穿著斗篷的嵐祐希口氣很大。他是個肢體動作誇張、喜歡引人注意的男生。

「我寄宿著黑暗力量的**邪眼**，已經能看見我奪得第一名的未來，你們快點來跟我組隊吧！名額有限，先到先得！」祐希掀起眼罩，露出紅色的瞳孔。

「嘩！他的兩隻眼睛是不同顏色的，難道他真的能**預見未來**？」星彩信以為真，妍書也十分驚訝。

「不，他只是個想像力豐富的笨蛋罷了……嵐祐希是最年輕的得獎小說作家，作品在世界各地也有出版發售。」珍妮對其他學生的背景都略有所知，因為在入學前她已做足功課。

其實祐希視力正常，亦沒有什麼神奇力量寄宿。他是個終日沈醉在自己的幻想世界、不理會別人目光的問題兒童。

「這些是我親手做的曲奇，你們若不介意的話……可以和我組成一隊嗎？」笑容親切的蔡京華送上美食，很快就俘虜了兩名隊友。

「好像很美味呢。」星彩口水直流，妍書也猛力點頭。

「味仙子飲食集團的太子女，繼承了父母優秀的廚藝和味蕾，是個充滿親和力的大小姐。」不只韋恩等精英已組成小組，來自不同界別的人才也陸續找到隊友，珍妮感覺十分不妙。

「他們全部都是怪物一般的特別人物……你們別掉以輕心啊。」珍妮環視競爭對手說。

「珍妮，那我們有什麼特別呢？」星彩一臉期待的問，在旁的妍書也瞪大眼睛。

「你們是……特別笨和特別呆。」珍妮頓覺奪冠的機會渺茫。

韋恩　　小愛隊　　流星

研書　　星彩隊　　珍妮

祐希隊 孖生胖子

秀樹 京華隊 可妮

課室的閘門突然自動打開，步入課室的金髮女生年輕貌美，吸引了在場所有學生的目光。

　　「我記得我曾在電視上見過這漂亮的姐姐！」星彩興奮的說。

　　「不只漂亮，而是美貌與智慧並重的費安娜教授！她可是科學界的權威。」年輕的女性科學家費安娜教授是珍妮的偶像。

　　「大家已經分好小組了吧？我是一年三班的班主任，費安娜。」費安娜教授一臉嚴肅，是個著重效率的嚴厲老師。

　　「相信大家對元域學院也十分陌生，對虛擬教育是怎樣的體驗也一頭霧水吧？」費安娜教授說著的同時，地板上升起了多個白色的半圓形座椅。

　　「元域探索。」韋恩知道座椅的真正用途。

PROFESSOR
FIONA

「正確，大家根據學號坐上對應的座位吧。」
費安娜教授坐上座椅的瞬間，頭戴式的密封裝置
自動降落，套在她的頭上。

學生們跟隨指示，躺坐在椅子上，豆沙袋般
的質感令坐在上面的學生陷入其中，加上眼前一
片漆黑，令星彩她們十分緊張。

「哈哈……這椅子不會吃人的吧？」星彩擔
心著問。

「Meta,開始元域探索課程。」
費安娜說罷，學生們身處的環境急速轉變，置身
冰天雪地之中。

「這就是……最頂尖的虛擬技術。」珍妮伸
出手掌，她能感受到飄雪降落到手心的冰涼。

「唉呀！」珍妮背部突然感到一陣冰
涼，嚇得她尖叫起來。

「**哈哈！** 這些雪球像真實的一樣冰冷呀！」星彩向珍妮和妍書邊扔雪球邊說。

「當然像真的一樣，元域學院最重要的課堂就是元域探索，在這虛擬世界大家所感受到的溫度和觸覺也和現實世界中的一模一樣。」費安娜向學生解釋，設計獨特的元域體驗座椅使學生就算安坐其中，也能感受到在虛擬世界步行、跳躍的動感。

「但是⋯⋯這個冰天雪地的地方到底是哪裡？」星彩邊扔雪球邊問。

「有同學知道嗎？」費安娜教授露出意味深長的微笑。

「是冰島嗎？」司馬流星環顧四週的自然景色，既有冰川同時又有火山。

「不愧是天文地理的高材生，這裡是冰與火的國度，位於北大西洋的冰封之島。」費安娜教授點頭說。

「為什麼要帶我們來冰島呢？」珍妮邊向星彩反擊邊說。

「因為有一個著名的冒險故事，就是發生在這裡。」費安娜教授以手指輕觸飄浮在她面前的介面，場景便從寒冷的冰川轉換到熱騰騰的火山口之上。

珍妮和其他同學同時急速墜落。

「真刺激啊！」星彩一點也不害怕，其他同學也表現得十分冷靜，因為他們知道在虛擬世界是不會受到真實的傷害。

「在一八六四年出版的科幻小說《地心歷險記》內，講述了一個地質學家探索地心世界的故事，而科學家們曾經努力不懈去研究，他們相信地底深處，確實存在一個有生物的地心世界。」費安娜教授的聲音直達學生們的腦袋中，墜落的學生安全掉落到木製礦車之上。

「地心世界和我們的課堂有什麼關係呀？」星彩、珍妮和妍書坐上連接的三節礦車，礦車自動沿著路軌向下加速行駛。

火山的內部，是巨大的礦洞，元域學院以虛擬技術重現了與《地心歷險記》內容相似的情景，並加入新的構思打造成冒險探索課程。

「你們的第一課，就是要在地心世界找出回到地面的方法，愈快完成任務的小組會得到愈多分數。而在地心世界內，還有各式各樣的任務能讓大家獲得額外分數，大家盡情探索吧。」元域探索就是學院最重視的學科，學生們利用知識和想像力完成任務，是費安娜教授最期望看到的事。

「週圍都是閃閃發亮的礦石啊！」坐在最前方的星彩手舞足蹈，礦洞內壁滿是珍貴的寶石，可是礦車高速行駛，她只能眼白白看著寶石掠過。

「我感到很頭暈呀！」從未乘坐過過山車的珍妮只感到頭暈眼花。

「前面……」妍書說話聲音太小，大家都聽不到她的提示。

前方光芒四射的出口就是路軌的盡頭，但礦車絲毫沒有減速的意思。

「要衝出去了啦！」星彩舉手歡呼，她最享受刺激這種無拘無束的快感。

不受約束而且沒有 *後顧之憂*，這是星彩放棄賽跑、選擇元域學院的最主要原因，因為在賽跑場上，星彩曾有過很不愉快的經歷。

地心世界

礦車衝出了
火山，映入學生眼簾
的是前所未見的世外桃源。色彩鮮艷的彩霞下是
滿佈巨大植物的熱帶雨林，這裡就是元域探索的
第一個目的地——**地心世界**。

「嚇死我了……」被扔出礦車的珍妮剛好掉落在一塊大大的葉子上。

「太棒了！還能再玩一次嗎？」精力充沛的星彩興奮不已，而妍書早已被嚇得雙腿發軟。

「歡迎各位來到地心世界，在接下來的冒險旅程中，你們可以透過語音導航得到資訊，祝願各位能成功生還，並逃出地心世界啊。」這就是費安娜教授給同學們的考驗。

只要完成五個不同的元域探索課程，成績最好的那一組，就能實現一個願望；地心世界就是第一個探索園區。

「生還？逃出？難道在虛擬世界也會有生命危險嗎？」珍妮問。

「雖然不會有生命危險，但各位的生命數值下降至零時，就會被淘汰，失去爭奪第一名的機會。」語音導航有著一把溫柔的男生聲線。

「啊！是誰在說話？」

星彩四處張望，週圍只有她的組員，其他同學散落到不同的角落。

「我是各位的人工智能嚮導——**阿爾法**，負責解答同學們遇到的基本問題。」在元域探索中所有生物也是由人工智能運算出來。

「基本問題？那可以告訴我們如何離開地心世界嗎？」珍妮馬上想靠人工智能得到答案。

「我是不會幫你們作弊的，這可是必須由你們找出的答案啊！」雖然是人工智能，但阿爾法的聲音充滿情感。

「嘖……那算什麼嚮導？你是不知道答案吧？你是個**很蠢的人工智能**吧？」珍妮使出激將法。

「讓我給各位一點提示吧……所有受元域學院錄取的學生，都會得到一份獨一無二的入學禮物，這份禮物對各位進行探索是很有幫助的，只要各位打開背包就能獲得禮物。」連人工智能也敵不過嘴巴不饒人的珍妮。

「珍……珍妮……」妍書指著珍妮小聲的說。

「背包？背包在哪裡？」珍妮摸摸後背，卻發現不到背包的蹤影。

「我的背後也沒有呢。」星彩也一樣。

「*珍妮……後面呀！*」妍書鼓起勇氣大聲叫喊，因為危機已經迫近到珍妮背後。

「什麼？」珍妮轉身一向，一朵巨大的食人花正向她張開大口。

「食食食食食食……食人花！」珍妮震驚的叫著，食人花已準備向前撲向她。

「珍妮！」幸好反應敏捷的星彩率先行動，一手把珍妮拉到身邊。

「為什麼這裡會有食人花的？」珍妮驚魂未定，撲空的食人花又再蠢蠢欲動。

「因為……如果這裡是參照《地心歷險記》創造的世界的話，當然會滿佈著危險的動植物吧！」妍書說著的同時，更多的食人花在她們四週冒出。

「現在不是討論的時候，還是……三十六計，走為上計！」為免淪為食人花的午餐，星彩立即抱起兩人拔足逃跑。

「阿爾法！你說的禮物到底在哪裡？我們沒有什麼有用的道具嗎？」珍妮知道要負擔兩人的重量奔跑，星彩很快便會筋疲力盡，要走出長滿食人花的地帶，是不可能的任務。

「請你們跟著我唸『**開啟介面，打開背包。**』這樣就能查看你們各自的狀況和擁有的道具。」阿爾法說。

「開啟介面，打開背包！」

三人同時說出，眼前出現了屬於她們各自的資料介面，並發現藏在背包的禮物。

像遊戲角色的人物資料介面，顯示著個人的生命值和狀態，背包一欄的空格顯示出個人持有的道具。

「**超凡動力鞋**！」星彩跟著道具的名字朗讀，腳掌上隨即發出紅光，替換上新的鞋子。

「啊⋯⋯我感覺到腳步變得很輕快，雙腿充滿了力量啊！」星彩感受到**神奇的力量**，這就是她所得到的入學禮物。

食人花再也追不上星彩的速度，這份度身訂做的禮物，大大提升了星彩的運動潛能。

「今天是個很適合奔跑的日子呢！你們抱緊我呀，我要全力向前衝啦！」星彩幹勁十足，她的雙腳一點也不感到沈重。

轉眼之間，星彩等人已遠離了食人花地帶，而同樣進入地心世界的其他小組，也開始發現入學禮物的神奇力量。

★　★　★　★　★　★

同樣降落在食人花區域的，還有韋恩、小愛和流星組成的小組，面對**食人花**的威脅，韋恩不但沒有手忙腳亂，更憑著個人身手解決困境。

「**加油！加油！**韋恩你真可靠，面對這麼多怪物也不畏懼。」小愛一邊拍手歡呼，一邊露出她能俘虜萬千粉絲的甜美笑容。

「大驚小怪，只要看穿它們的行為模式，就沒什麼好害怕。」但韋恩態度冷淡，不為所動。

「我們是時候起程了。」流星從樹上躍下，他一直在高處觀察四週的環境。

「你知道怎樣離開這裡？」韋恩問。

「既然這裡是參照《地心歷險記》創造的虛擬世界，離開的方法嘛，我大概猜想到了。」流星微笑著說，他的身邊飄浮著一個小型人造衛星。

「那就起行吧，我一定要奪得第一名，你們不要拖後腿。」韋恩是懷著目的進入元域學院的，而要達成這目的，他必須得到第一名的獎勵。

「從來沒有人對我這麼冷淡……難道小愛長得不夠可愛？」小愛深深感受到打擊。

「韋恩對女生沒有興趣啊，他只對第一感興趣。」流星很熟悉韋恩，他們自小就是彼此的競爭對手。

「**對女生沒興趣？**」小愛只聽到前半句便露出驚訝的表情。

而在各個小組朝著目標進發的同一時間，代表著比賽開始的聲音響起來了——火山爆發的巨響傳遍地心世界！學生們還未知道這一聲巨響，是時間 **開始倒數** 的意思。

入學禮物

　　遠離食人花區域後，星彩停了下來稍作休息，火山爆發的巨響吸引了眾人的目光，那火山正是她們來到地心的入口。

　　「那裡噴發著**熔岩**，看來我們不能從入口返回地面了。」珍妮苦惱的說。

　　「教授說過這裡是參照《地心歷險記》創造的，我想……我們應該可以從那故事中找到線索……」妍書說。

　　「但我沒有看過啊，我只看和科學有關的課外書。」珍妮的科學知識無法派上用場。

　　「我也沒看過，我一看到**密密麻麻**的文字就會睡著。」活躍的星彩最怕的就是看書。

　　「那妍書你看過嗎？你知道回地面的方法？」珍妮想起妍書曾是學校的圖書管理員，對

閱讀有濃厚興趣。

「嗯⋯⋯我以前有看過，雖然我不確定這裡和故事中的地心世界有多相似，但我相信出口就在那裡。」妍書指著遙遠的對岸，那裡有多座冒煙的火山，火山的上空有著美麗的極光。

「那我們還等什麼？馬上出發吧。」珍妮說。

「但是⋯⋯你們相信我嗎？我有可能猜錯的⋯⋯如果我猜錯，便會浪費很多時間，更會錯失得到**第一名**的機會。」妍書畏縮著說。

「相信呀，而且我們也沒有其他線索，這次比賽就靠你了。」珍妮爽快的回應。

「自從來到地心世界後，妍書變得比平常多說話，這樣很好呀！因為妍書的聲音十分動聽。」星彩抱著妍書說。

妍書有著**社交障礙**，害怕主動和人說話，但不代表她不想結交朋友，她也渴望著找到願意相信她、聆聽她的朋友。

「相信自己吧，畢竟你可是唯一贏過本小姐的人啊。」珍妮認同妍書的能力。

妍書 淚眼汪汪，她第一次感覺到自己受到重視和信任。

「啊！你弄哭妍書了。」星彩指著珍妮說。

「不是我啦！是你抱得太大力弄痛妍書了吧？」珍妮手忙腳亂的反駁說。

能找到信賴自己的聆聽者是難能可貴的事，妍書是出身名門的千金，她的生活全都被父母安排好，她沒有選擇權，也沒有人聆聽她的意願，久而久之她便變成害怕主動說出自己的想法，害怕與人交流。

「但是……你們有沒有發覺，這個地方好像愈來愈炎熱？」星彩問。

「因為愈接近地心，溫度就會愈來愈高，人類的身體不適宜逗留在高溫的環境。」妍書擦乾眼淚說。

「**開啟介面**。」珍妮已開始熟習虛擬世界的操作。

「難怪完成任務的其中一個條件是生還……我們要加快腳步了。」珍妮洞悉到事態有多麼嚴重。

「為什麼？」星彩還是不以為然。

「你這個笨蛋……我們的生命值正在逐漸減少，如果不儘快離開，我們便會因耗盡生命值而被淘汰呀！」珍妮激動的說。

除了生命值外，在資料介面中還有一個十分重要的項目，那就是用來使用道具的精神力，使用道具的次數愈多，精神力的消耗便愈大。

地心世界**危險重重**，要在限時之內順利離開更是難上加難。各個小組都朝著相同的方向進發，前往那片極光之下滿佈火山的區域。但要到達那裡之前，還有一個重大的難題正在等待學生。

星彩小組朝著目標奔跑，珍妮在路途中不忙研究入學禮物的使用方法。

　　「阿爾法，這東西到底要怎樣使用？沒有說明書嗎？」珍妮得到的道具是一對造型科幻的黃色大手套。

　　「很抱歉，道具的使用方法必須靠你們摸索。」語音導航員阿爾法說。

　　「『**錬金術手套**』……難道能變出黃金？」珍妮靈機一觸。

　　「真的嗎？快點試試吧！」星彩興奮的說。

　　「*變變變！出來吧！足金金豬！*」珍妮高舉雙手一臉期待的呼喊。

　　「什麼也沒有呢？是魔法咒語唸錯了嗎？」星彩摸摸珍妮空空如也的手問。

　　「我怎知道魔法咒語是什麼？我又不是魔法少女！」珍妮憤怒的說。

「雖然珍妮的道具未發揮作用，但我的道具……好像更無法幫助大家呢。」妍書的入學禮物是一本厚厚的藍色書本。

妍書得到的道具，是「神秘生物圖鑑」，但書中卻只有食人花這一頁能看到詳細資料。

「不……或者這道具比你想像中有用得多。」珍妮接過妍書的圖鑑，不只詳細記錄了食人花的特徵、生長環境、弱點等資訊，其中一項特別吸引到珍妮的目光。

「『**食人花不可食用**』……那即是說，在地心世界有不能吃的東西，也有能吃的東西，能夠回復生命值。」珍妮推理出這重要的資訊。

「這個很好吃啊，你們要吃嗎？」說時遲、那時快，星彩已把鮮艷又飽滿的蘑菇放進口中。

「吓！你確定這東西沒有毒嗎？」星彩的行動力令珍妮驚嘆。

「哈哈，為什麼會有三個珍妮和三個妍書的？」星彩傻呼呼的說著，連腳步也站不穩。

　　「這蘑菇會令人出現幻覺，是不能放入口中的！」妍書觸碰蘑菇，書中立即出現了新的彩頁。

「神秘生物圖鑑」，原來詳細記錄了使用者觸摸過的動植物資料。

「愈來愈多妍書出現啊，地心世界住著這麼多妍書嗎？」星彩的幻覺愈來愈嚴重。

「看來這蘑菇還會令笨蛋變得更笨呢……書上有記載解決方法嗎？」珍妮沒好氣的說。

「附近應該會有解藥的……找到了！」妍書在 迷幻蘑菇 的四週摸索，解毒草就生長在不遠處。

在地心世界生長的動植物都和地面上的不相同，巨大化的植物和史前動物棲息在內，稍一不慎就會遇上生命危險。

「唔……我剛才看到很多妍書和珍妮啊！」吃過解毒草後，星彩很快便回復正常。

「看吧，你的道具不是很快就 大派用場 了嗎？」珍妮鬆了一口氣。

妍書會心微笑，她得到了信任，得到了重視，

也得到了珍貴的夥伴。

　　「問題是……接下來的難關，我們要怎樣度過。」珍妮遙望遠方說。

　　要到達火山滿佈的目的地，必先解決一個難題，就是橫越她們面前的一片海洋。

地下大海

　　虛擬會議室內，十名來自各個界別的達官貴人聚首一堂，認真地觀看學生們在地心世界的探險之旅，因為他們都是元域學院的**投資者**。

　　「花費龐大資金去打造一個虛擬世界，真的能得到回報嗎？」當中有些投資者對虛擬技術的價值還是心存疑慮。

　　「各位知道人類和其他動物最大的分別是什麼嗎？」院長安德森先生問。

　　「當然是**智慧**呀。」作為靈長類動物，人類的確智力發展得較其他動物高。

　　「自古以來，動物都會因應環境的變化改變自己的構造。**物競天擇**，這是動物進化必經階段。」安德森搖搖頭說。

「唯獨人類，人類不會改變自己，而是會改變環境，令環境變得適合自己生活。氣溫太炎熱，人類便製造冷氣機，太冷便研發暖氣系統……人類的身體已經停止進化了。」然而改變環境迎合自己所帶來的後果，人類卻視而不見，這令安德森十分擔憂。

全球暖化、冰川融化、瀕臨絕種的動物，種種因為人類任意發展而導致的後果，正在一步步令地球不再適宜人類居住。

「既然身體不再進化，我們唯有開發潛力未用盡的地方——**人類的大腦**。」研究顯示人類的大腦只使用了不到三分之一，意味著人類還擁有難以估計的潛力。

「那為什麼要找學生來進行研究？」不明所以的投資者問。

「成年人因為成長環境和認知，想像力已受到了重重限制，遠不及這些天馬行空的年輕人。

他們勇於衝出現狀，不懼怕失敗受挫，這正正是我的研究中最需要的東西。」安德森相信孩子們的想像力，將會是人類未來的希望。

如果人類不作出改變，在不久的將來，地球的資源將會耗盡，變成不適宜居住的星球，而解決這問題的答案，安德森相信就在**年輕人**的腦中。

想像力就是人類最偉大的力量，安德森對此深信不疑，而元域探索課程正是為釋放學生潛能而設。

★　　★　　★　　★　　★　　✩

星彩回復狀態後，她們的小隊馬上遇上新的難題。

「在地心世界……要怎麼去對岸？」珍妮看著大海畏縮地問。

「**游泳過去吧**。」星彩做好熱身運動，運動了得的她無懼大海。

「我們和火山區相距這麼遠，也不知道海水有多深……而且妍書也不會游泳吧？」珍妮在努力找藉口。

「我會啊……因為我的家設有游泳池。」妍書做出伸展動作。

「你的說話令我深深感受到**貧富懸殊**呢……但除了游泳，我們還有其他方法嗎？」珍妮扭擰著說。

「難道珍妮你不會游泳？」星彩問。

妍書想起無論是游泳的課堂還是水運會，也從不見珍妮的蹤影。

「我……」珍妮移開視線，吞吞吐吐的說。

「不會也不要緊呀，我們想另一個辦法吧。」妍書安慰著說。

「對呀，我是旱鴨子呀！不會游泳又如何？會游泳很了不起嗎？」面對不會的事情，珍妮總是會老羞成怒，因為她好勝心強，不易認輸。

「哈哈哈哈！看來有人因為不會游泳而停滯不前呢。」男生的聲線從上空傳來。

星彩等人抬頭一望，看見競爭對手竟飄浮在空中，那是小說作家嵐祐希和一對孖生胖子兄弟組成的小組。

「啊！那個想像力豐富的笨蛋在天上飛呀。」星彩說。

「誰說我是笨蛋？我是被上天選中的超能力者才對！」嵐祐希得到的入學禮物是一支誇張的大毛筆——「文字力量筆」。

「八成是他手上的道具，令他們能在天空上飛吧。」聰明伶俐的珍妮一眼便看穿祐希的秘密。

「為什麼你會知道的？難道你擁有看穿人心的超能力？」祐希震驚的說。

「你們三個背上寫著一個又醜又大的飛字，這肯定是那支筆的能力吧。」只要是視力正常的人，都很難看不到那醜陋的大字。

「竟然嘲笑我灌注神秘力量的魔法文字⋯⋯實在**罪無可恕！**」祐希被珍妮刺激得漲紅了臉，準備以道具的力量還以顏色。

在地心世界內，沒有規定學生不能互相攻擊，淘汰其他競爭對手的確是取得第一名的其中一個方法。

「我們還是不要節外生枝，快點渡海吧。」冬菇頭髮型的小智是孖生胖子中的哥哥。

「再慢吞吞的話，會被韋恩*捷足先登*的。」和小智長得一模一樣的小毅說。

祐希的兩名組員都是男生，而且他們針對的目標也相同，那就是韋恩和流星。

「你們說得對，我絕對不要輸給韋恩那囂張的傢伙。」祐希特別討厭韋恩，主要原因是韋恩和流星都十分受女生歡迎。

「我要贏過那傢伙，然後在他的臉上寫一個**醜**字！哈哈哈哈！」祐希說罷便和組員高速飛向對岸。

「幸好不用和那個腦袋有問題的祐希交手⋯⋯否則情況對我們十分不妙呢。」珍妮邊嘆氣邊說。

「為什麼？那支筆真的有這麼厲害嗎？」星彩不覺得自己會輸給男生。

「妍書的道具只能提供資訊，我更未弄清楚這對手套怎麼使用，我們之中就只有你有抵抗的能力，勝算微乎其微。」珍妮苦惱著說。

地心世界幅員廣闊，本來不撞見其他小組的可能性很高；但由於大家的目標指向相同，所以愈接近火山區域，便愈難避免和競爭對手狹路相逢。

「我們還是先集中精神，想想該如何渡海吧。」妍書說。

如果沒有渡海的交通工具，那就自己造出來，在虛擬世界之內，沒有不可能做到的事，只有想像不到的事。

「嘻嘻嘻嘻……我想到該如何渡海了。」珍妮看到沙灘上一棵棵巨大的椰子樹，然後看著星彩狡猾地笑。

爭勝之心

大海的對岸，韋恩小組以最快的成績登陸，他們之所以能夠輕鬆渡海，全靠小愛所獲得的入學禮物。

「雖說我們身處在虛擬世界，但能在大海上行走實在是**十分神奇**的事。」流星看著小愛閃亮的鞋子說。

小愛的道具是「冰雪水晶鞋」，她走過的足跡都會結成冰霜，韋恩和流星只需要緊隨其後，便能橫跨大海。

> 小愛是不是很有用呢？

小愛邊轉圈邊說。

「就算沒有道具，我也有辦法渡海，借助別人的力量一點也不值得炫耀。」韋恩冷漠的說。

「不，若不是有小愛幫助，我們未必能這麼順利到達呢。」流星透過小型人造衛星得知，地心世界的氣象正在急劇變化，這是**天災**快要發生的先兆。

「那就加緊腳步吧，不要浪費領先的優勢。」韋恩一心只想著儘快離開。

另一邊廂，落後的星彩小組也在急起直追。大海之上一艘木筏正在高速前進，珍妮想到就地取材，以椰子樹粗壯的樹幹組成木筏，並以樹根代替繩子捆綁在一起，但木筏之上只有珍妮和妍書二人。

『游快點！星彩你不
是很會游泳嗎？』

珍妮向著木筏後的星彩呼喊。

「珍妮你是魔鬼嗎？竟然想到把我當做引擎！」星彩一邊哭喊，一邊推著木筏踢水前進。

要追上落後的進度，木筏必須儘快越洋過海，但沒有引擎推動木筏只能緩慢移動，所以機智過人的珍妮想到一個妙計。

「你的超凡動力鞋現在是發揮作用的時候啦！快點！我們要追過其他小組奪得第一！」珍妮絕不會輕易放棄第一的寶座。

「其實開開心心在這裡遊玩不是很好嗎？為什麼一定要爭第一啊？」星彩哭喊著服從珍妮的命令。

珍妮激動的說：

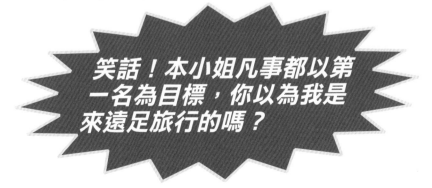

笑話！本小姐凡事都以第一名為目標，你以為我是來遠足旅行的嗎？

「星彩，你以往在比賽場上，不是也為第一名而竭盡所能嗎？」妍書充滿疑惑，她認識的星彩一直**傾盡全力**，她在賽跑中展現的燦爛笑容，令妍書印象深刻。

聽到妍書的說話後，星彩臉色一沈，她之所以離開賽跑賽場，是有著一個她不想告訴別人的原因。

「我知道了啦……你們坐穩吧！」星彩當然知道每一個參加比賽的人，都想要爭取第一，她不希望令隊友失望。

「**全速前進**！」超凡動力鞋呼應星彩輸出更大力量。

但任何比賽，只要有人得到第一，就自然有人失落第一，星彩無法忘記那些在賽場上輸給她的人，表情有多失落、多悲傷。

「啊！這樣就對了！」珍妮望見星彩身後水花四濺，木筏推進的速度立即大大提升。

「珍妮，天色好像……有點不妥。」妍書等人不像流星有著豐富的天文地理知識，氣象急速的變化遠超她所預期。

暴風雨來得十分突然，海面上更是掀起巨浪，惡劣的天氣絕對不宜出海航行，但是星彩小組現已騎虎難下。

「沒辦法了，星彩，全速前進！」珍妮船長發號施令，唯有衝破巨浪她們才有一線生機。

「收到！」驚濤駭浪就在眼前，星彩閉上雙眼用力踢水，為了帶領隊友衝出困境使出最大力氣。

星彩自己也不知道是從何時開始，不想再踏上比賽場地，也不想再傾盡全力和人比賽。虛擬世界，其實是星彩用來逃避現實的地方。

賽跑場上，星彩奮力向前成功越過一個又一個對手，首名衝過終點。

「**贏了！**」星彩感到十分滿足，但是卻聽不到觀眾的歡呼聲。

星彩抬頭一望，觀眾都露出擔憂的神情，他們交頭接耳，但沒有人為星彩的勝利感到喜悅。

「小霞……」星彩的競爭對手，也是星彩的好朋友，正抱著腳踝在地上痛哭著。

「**別過來……我不想看到你。**」小霞求勝心切，不小心弄傷了腳踝。

「我……」星彩十分擔心，靠近小霞想上前慰問。

「不要靠近我！我不需要勝利者的安慰！」小霞充滿憎恨的目光，令星彩閉上眼睛不敢直視。

從親密友人所投來的憎恨目光，在星彩的心裡留下了陰影，成為她對第一不再執著的原因。

溫柔的女性聲線，把星彩從睡夢中喚醒。

「星彩，快起來啊，
　不可以在虛擬世界沈睡啊。」

「你是……誰啊？」星彩朦朧之間，彷彿看
到一個留著長髮的少女。

「這裡是⋯⋯什麼地方？」少女沒有回應，星彩擦擦眼睛後，發現本應身處大海的她，卻置身熱帶叢林。

「你還身處地心世界之中，雖然海浪分散了你和其他隊友，但她們已成功渡過海洋了。」語音導航阿爾法說。

「剛才是阿爾法你叫醒我嗎？」**睡眼惺忪**的星彩問。

「沒有。」阿爾法不能對參賽者作太多干預。

「啊⋯⋯所以妍書和珍妮是迷路了，對嗎？」回復精神後，星彩便開始熱身。

「唔⋯⋯你也可以這樣理解。」阿爾法認為星彩也是一隻迷途羔羊。

「她們現在一定很**徬徨無助**啦！看我用最快的速度奔跑到她們身邊吧！」樂觀的星彩再次跑動起來。

在虛擬的世界，就算怎樣奔跑也不會受傷，

不用面對無法再奔跑的恐懼。逃避這份恐懼，才是星彩來到元域學院的真正原因。

★　★　★　★　★　★

　　昏暗的岩洞之內，珍妮和妍書小心翼翼的並肩而行，她們被巨浪沖入這岩洞深處，醒來的時候已不見星彩的蹤影。

　　「*星彩她……不會出意外吧？*」妍書擔心的問。

　　「她像隻猩猩一樣強悍，就算掉她在孤島也一定能活得長長久久。」珍妮摸索著岩洞的石壁，閃爍著**紫光的礦石**吸引了她的目光，她隨手取下一塊收到背包之內。

　　「我不擔心星彩的**求生能力**，不過她的精神狀態反而是個隱憂……」珍妮說。

　　「為什麼？」妍書不明所以。

「星彩的最後一場比賽，發生了一件不幸的意外。」珍妮回憶起當時的情景。

星彩奪得冠軍，更打破了當時的學界紀錄，但賽場上卻鴉雀無聲，每人也以擔憂的目光注視著小霞，那個不只失落了冠軍、還失去了夢想的女生。

星彩最要好的朋友，因為傷勢嚴重，就算康復後也不能再參加比賽了⋯⋯而星彩把責任歸咎於自己，若自己沒有全力以赴，沒有爭奪第一，她的好朋友或者不會受傷。

珍妮能想像失去夢想是多麼可怕的事。

「珍妮你很了解星彩呢。」妍書發現原來珍妮的內心十分溫暖，並非其他人說的難以接近。

「我只是碰巧路過比賽場地，才順便看看罷了⋯⋯我才不會關心那過度活躍的女猩猩⋯⋯」

珍妮裝作對其他人漠不關心，但她十分欣賞在賽場上揮灑汗水的星彩。

「我們快點找到星彩吧，雖然遇到阻滯，但我們還是有機會最快離開地心世界的。」妍書挽住珍妮的手臂，她知道了珍妮原來是個**口不對心**的女孩子。

「不要靠得這麼近啦……我們關係不是那麼要好的。」珍妮習慣把別人拒之門外，不主動結交朋友，也不和別人打好關係，這和她的成長經歷有關。

「但是這裡黑漆漆的……很恐怖。」妍書從害怕與人交流，到不知不覺交到能信任的隊友。

冒險，總會給予我們新的啟發，所以從古至今，冒險家不惜冒**生命危險**，也要挑戰自我，突破界限。來到地心世界的冒險少女，亦正一點一點，有所改變。

恐龍危機

地心世界之內，所有小組已成功橫越大海，但他們都不知道，愈是接近火山地帶便愈來愈危險，和組員失散的星彩想再依靠道具加快速度，卻感覺到**力不從心**。

「阿爾法，為什麼動力鞋沒有反應呢？」星彩以為鞋子壞掉了。

「要發揮道具的力量，需要消耗使用者的精神力，在渡海的時候，星彩你已消耗過度了。」阿爾法回應。

不只精神力的消耗，在炎熱的地心世界逗留時間愈長，**生命值**也下降得愈快，長久下去，星彩將會被淘汰。

「唔……現在最需要的是補充體力。」星彩漫無目的前行，因為她不知道組員身在何處。

「食物啊食物，到底哪裡會有食物？」星彩擺舞手中的樹枝，無意間發現了一個隱蔽在樹叢中的巢穴。

「很大隻雞蛋啊」！♡

巢穴裡擺放著三隻頭顱般大的蛋。

「如果讓妍書看到她一定會很高興呢。」星彩想帶走巨蛋，但捧著巨蛋難以走動。

「你可以把蛋收藏到背包裡，每人的背包均有十個空位，扣除存放道具的那個，還可以存放九個物品。」阿爾法回應。

「沙……沙……」

「那我們可以一人一隻呢，黃色是給珍妮的、藍色是給妍書的……」被眼前巨蛋所吸引的星彩，沒有為意到身後傳來的聲音。

地心世界內不只有以人為食物的巨大植物，還存在更危險的**史前動物**。

「咔——嚓——」樹枝斷裂的聲音格外清脆。

「有誰在附近嗎？」星彩終於意識到危機已在附近，待星彩回頭一看，兇猛的野獸已對她垂涎欲滴。

「**呱！**」速龍們張牙舞爪，鎖定星彩為

目標。

「哈哈⋯⋯難道那些蛋裡的不是小雞，而是**恐龍**嗎？」星彩心知不妙，為數不少的速龍正聚集起來。

「正確，你已進入恐龍出沒的區域了。」阿爾法說。

「*你應該早點告訴我嘛！*」星彩立即轉身逃跑。

離開地心世界的出口就在火山地區內，但要到達火山地區，同學們還要穿過危機四伏的叢林，面對恐龍的威脅，有人選擇逃走，也有人選擇作出正面挑戰。

★　　★　　★　　★　　★　　★

叢林內，另一個小組正在養尊處優，比起疲於奔命去爭奪第一名，他們更似是在享受這冒險

之旅。

「**大功告成**，大家慢慢吃吧。」廚藝精湛的蔡京華得到的入學禮物是「萬應廚具」，能隨時隨地製作料理，為組員回復最佳狀態。

「可妮，你多吃一點。」秀樹的背上背著長長的獵槍，他把自己的大半食物都分給了可妮。

「不用那麼多啦……」身穿紅色斗篷的可妮不好意思的說。

「你們就像親兄妹一樣，感情要好呢。」京華會心微笑，她慶幸遇上一對善良的好隊友。

白秀樹和洪可妮既是鄰居，又是青梅竹馬的好友，秀樹是動態視力發達的射擊比賽冠軍，可妮是擅長**手工藝**的小小手作人。

「明明我比秀樹年長數月，他卻把我當成小朋友般看待。」個子小小的可妮個性懦弱。

「因為你老是要人照顧，一點也不像個大姐姐。」高挑的秀樹是個細心可靠的男生。

「你們都是乖孩子，盡情吃啊，不夠的話，大姐姐再做飯給你們吃。」京華一直渴望有弟弟妹妹，雖然是富家千金，她卻一直過得十分寂寞。

「你們有感到渡過海洋後，這片大陸不時會發生**輕微地震**嗎？」作為小組的唯一一個男生，秀樹時刻保持警覺。

「聽你這麼說，又好像有感覺到呢。」京華不以為然。

「噓……我聽到腳步聲，不知道有什麼正在接近。」秀樹說。

「*會不會是食物的香味，吸引了那些可怕的恐龍？*」可妮戰戰兢兢，她們在早前看到了嚇人的片段。

★　★　★　★　★　★

較早之前，行事高調的祐希和組員飛過海洋

後，同樣到達了恐龍出沒的叢林地帶，但是神經質的他不只沒有迴避，還向恐龍中的霸主作出挑戰。

「**哈哈哈哈！** 你這大傢伙就是地心世界的老大嗎？儘管放馬過來！」祐希已被道具的力量深深吸引，信心十足的走到霸王龍面前。

「需要幫助祐希嗎？人類怎會打得贏恐龍呢？」小毅問。

「隨他吧，我也想看看這些道具到底有多厲害。」狡猾的小智不想以身犯險，由愛出風頭的祐希來當實驗品就最好不過。

六個小組裡有人同心合力，有人互相照顧，當然也會有人爾虞我詐。

「來吧！接我灌注滿黑暗力量的一拳吧！」祐希在手背上寫上「力」字，然後一鼓作氣衝向霸王龍。

「嗜 。」很可惜祐希的拳頭還未擊中霸王龍，他已被霸王龍一口吞進肚子裡。

「唔⋯⋯果然是行不通的，我們逃跑吧。」小智果斷撤退，組員被淘汰他們雖然會失落這一場比賽的第一名，但對未來的賽事來說，獲得經驗也是很重要的。

祐希被當成午餐的一幕剛好被躲在叢林的京華小組看到，嚇得他們在叢林中不敢輕舉妄動。

★　★　★　★　★　★

然而密集的腳步聲正逐漸接近，京華小組不能繼續按兵不動。

「救命呀！」星彩正全力奔跑，身後的速龍張牙舞爪。

「可妮，使用道具吧。」秀樹的道具是「多功能獵槍」，背上的獵槍配合不同的子彈能發揮多種功效。

秀樹射出兩發**麻醉子彈**，把最接近星彩的兩隻速龍放倒。

「大灰狼布偶裝！」

可妮的道具是一套大大的布偶服，能抵擋猛烈的襲擊。

穿上大灰狼布偶裝的可妮一手把星彩抓進懷中，然後伏下以龐大的身體包裹著京華和秀樹。

速龍只會追著會動的獵物，靜止的大灰狼布偶在牠們眼中和死物一樣，很快速龍便放棄了目標，緩緩遠去。

「得救了，謝謝你們。」全靠京華小隊的幫助，星彩才逃過一劫。

「你不會恩將仇報，調轉槍頭陷害我們吧？」秀樹警覺性高，以獵槍指嚇星彩。

「咕……」星彩還未回應，肚子已發出最誠實的聲音。

「我不會傷害大家的，我現在只想吃飽飽，和找回失散的組員。」星彩掩住肚子尷尬的說。

「我們剛巧也在野餐，你要和我們一起吃嗎？」友善的京華看出星彩沒有**惡意**，在危機四伏的地心世界內，互相幫助是十分重要的事。

致勝關鍵

　　叢林內，星彩正在 **大快朵頤**，幸得京華小組相助，星彩不僅躲過速龍的追捕，還得到一頓豐富的午餐，更幸運的是京華以道具烹調的料理能大量回復體力和精神力，星彩不用再擔心無法使用道具。

「謝謝你們救了小女子一命。」星彩向眾人鞠躬致謝。

「別客氣啦，能在地心世界與你相遇，也是一種特別的緣分呀。」比起**爭名逐利**，京華更喜歡交朋結友。

「星彩，既然你和組員失散了，那要不要和我們一起行動？」可妮擔心單獨行動的星彩會有危險。

「感謝你們的好意啦，但我要儘快回到她們身邊才行……不然珍妮會生氣的，妍書一定也在擔心我吧。」星彩笑著回應，她知道組員正在等待她。

「萬事小心。」秀樹說。

「好了！既然精神飽滿，那就要一雪前恥！」星彩再次發動超凡動力鞋的神奇力量，奔跑速度快如閃電。

「**我踢！**」在啟程尋找組員前，星彩追上剛才的速龍，用力一腳踹在牠的屁股上。

「有本事就追上我吧！」向速龍裝出鬼臉後，星彩便繼續她的旅程。

地心世界內，地震的頻率愈來愈密，強度也一次比一次高，這意味著火山區域快要發生火山大爆發，也代表著第一場元域探索比賽已進入尾聲。

★　★　★　★　★　★

岩洞之內，珍妮和妍書一邊在找尋出路，一邊在石壁上畫上記號。閃閃發亮的紫色礦石堅硬無比，珍妮**輕輕鬆鬆**就能在石壁刻畫上記號。

「我們身處的地方，是其中一個火山之內，對嗎？」妍書感覺到愈來愈炎熱，生命值也不斷下降。

「對，我們時間無多了，唯有由我們先找到離開地心世界的方法，等待星彩回來會合。」珍妮在路上留下的**星星記號**，是給星彩的指引。

「但星彩能看懂這記號是我們留給她的嗎？」妍書問。

「在星彩和小霞的比賽結束後，星彩有一段時間沒有上學，我猜想她會不會也受傷了，於是去了她爸媽經營的茶餐廳找她。雖然她身體安然無恙，但心裡恐怕已留下了陰影吧……這記號是茶餐廳的**招牌標記**，她一定能認出的。」珍妮不禁流露出擔憂的表情。

「放心吧，星彩一定能找到我們的。」互相鼓勵，互相安慰，就算身陷險境也不用害怕。

「現在最重要的，是怎樣飛到天空上的極光。」珍妮抬頭望向火山口外的天空，舞動的極光就是她們的終點。

「這邊。」女生的聲線在岩洞中幽幽的迴蕩。

「珍⋯⋯珍妮，那裡⋯⋯你看不看到有人飄過？」岩洞內燈光昏暗，妍書隱約看到一個長髮少女在遠處飄過。

「你有需要這麼害怕嗎？」妍書抓住珍妮的手正在發抖。

「這裡不會有幽靈吧？」妍書最害怕鬼魂靈異這類東西。

「傻妹，虛擬世界又怎會有幽靈？就算有也只是**程式代碼**模擬的假象。」珍妮大膽的走向幽靈飄過的方向。

兩人走進火山的更深處，等待珍妮和妍書的並不是幽靈，而是指引她們離開的重要線索。

「骸骸骸……骨呀！」

妍書躲到珍妮身後，穿著冒險者服裝的一具白骨躺在一角。

「大驚小怪……我只相信科學，你剛才說的幽靈八成是學院安排提供的線索吧。」珍妮大膽上前，對白骨進行搜索。

「找到了！」果然不出珍妮所料，白骨手中握住一本筆記本。

「內裡……寫著什麼？」膽小的妍書探頭觀看。

「李登布洛克教授……這是一本他在地心世界冒險途中撰寫的筆記。」珍妮看到筆記上的署名，快速翻到筆記的最後部分。

「李登布洛克，是故事中的主角，他的筆記裡一定記錄了回去的方法！」妍書興奮的說。

「這是船的設計圖嗎？啊！這是利用火山爆發的噴發力，保護乘客**飛越火山**的載具！」珍妮現在只需要找到這載人工具，就能順利離開地心世界。

「珍妮，妍書，你們手上的是什麼？」正當兩人興高采烈之際，一把聲音響起，原來散失多時的星彩竟剛好回到她們身邊。

「這筆記本記載了離開地心世界的載具停泊在哪裡，我們有機會**反敗為勝**了！」珍妮興奮不已，星彩出現的時機完美無瑕。

被勝利沖昏頭腦的珍妮一時鬆懈，手中筆記被星彩搶了過去。

「星彩……你怎麼了？」妍書感到不妥，她從未見過星彩露出這麼冷酷的表情。

「辛苦了，這筆記本由我們收下。」搶奪筆記的並不是真正的星彩，而是韋恩以道具**變裝**而成。

韋恩的「間諜手提包」內藏著各種間諜用具，當中包括能易容變裝的法寶。

「卑鄙小人……還給我！」珍妮想搶回筆記本，差點被地上突然冒出的冰錐刺傷。

「韋恩，要不要在這裡淘汰她們？」流星利用小型衛星發現到珍妮和妍書後，便暗中監視她們的一舉一動，待筆記本到手才出現。

韋恩小組早前已淘汰了一些小組，愈少競爭對手愈能確保優勢。

「不用了，饒你們一命，就當是交換筆記本的代價吧。」韋恩說罷轉身離開。

希望落空的珍妮跌坐地上，雖有不甘心就此失去冠軍，但也無力扭轉敗局了。

衝上雲霄

　　地心世界內，韋恩小組靠著筆記本提供的路線圖，成功找到隱藏在火山底部的逃生船，登上船內的他們只需要等到火山再次爆發，就能衝上雲霄離開地心世界。

　　「韋恩，我們不是形勢大好嗎？為什麼你還是**愁眉苦臉**？」小愛以為韋恩會因為勝利而展露笑容。

　　「沒什麼。」韋恩在監視星彩和珍妮的時候，聽到令他十分在意的情報。

　　「要開始了，大家坐穩啊。」流星說。

　　火山爆發的衝擊力把逃生船衝上高空，韋恩小組成功以首名完成任務。而與勝利擦肩而過的珍妮沈溺在悔疚之中，她對自己的大意感到無比自責。

「激氣呀……如果我再謹慎一點，就不會發生這種事。」珍妮的眼眶掉落**不甘心**的淚水。

「誰也猜想不到韋恩有這樣的道具，你不要再怪責自己呀……」妍書輕拍珍妮的背以示安慰。

「氣死我了！不只韋恩，小愛和流星那副嘴臉更令人生氣！會生產出冰有什麼了不起嗎？也不過是水的另一種形態罷了！」珍妮握住小愛留下的冰錐，**錬金術手套**發出耀目的光芒。

待光芒減退後，冰錐竟消失不見，只餘下一潭水。

「珍妮，你會使用道具了啦！」妍書欣喜的說。

「分解和重構……原來『錬金術手套』是這樣的法寶。但現在才知道已經太遲了……而且星彩那笨蛋還不見蹤影。」珍妮氣憤的說。

「**珍珍珍珍珍珍～妮～我回來啦！**」

全靠珍妮留下路標作指引，全速奔跑的星彩終於趕到，但是她身後還有一班不速之客。

「別過來！為什麼你會引來這麼多恐龍的？」珍妮大吃一驚，星彩身後的不只有速龍，霸王龍、蛇頸龍和三角龍也為數不少。

「**好可愛**，是活生生的侏羅紀恐龍！」妍書作為動物愛好者，一點也不害怕恐龍。

「我也不知道啊！地震開始後牠們便追著我跑，我不好吃的啊！」失散的三人終於會合，但卻迎來了更大的恐龍危機。

「**吼——吼吼！**」

霸王龍持續吼叫著，並沒有進一步接近她們。

「牠好像很擔心，好像……有話想和我們說。」妍書伸出右手，慢慢步近霸王龍。

「妍書……」星彩和珍妮擔心的事沒有發生，霸王龍以鼻子輕輕觸碰妍書的手。

「**神秘生物圖鑑**」——只要被妍書接觸過的生物，書中都會詳細介紹牠的資料。而其實圖鑑還有一個特別功能，妍書按下霸王龍頁上的咪高峰按鈕。

「**吼……吼……**」圖鑑把霸王龍的叫聲翻譯成人類的語言，這是妍書夢寐以求、能和動物溝通的能力。

「**地震令恐龍們十分害怕，牠們知道火山爆發會令牠們被滅絕。**」妍書向星彩和珍妮傳達恐龍的訊息。

「啊……珍妮，有沒有辦法帶同牠們一起離開呢？」星彩忽發奇想。

「我們現在自身難保，為什麼還要理會牠們？而且牠們只是**虛擬世界的代碼**呀，根本不是真正的生物。」珍妮覺得不切實際。

「牠們一直追著我，但卻沒有傷害過我。我想牠們一直在向我求助，但因為語言不通導致手足無措⋯⋯知道牠們的想法後，你叫我袖手旁觀？我做不到。」在星彩眼中，這不是虛擬還是真實的問題，而是做人的宗旨——人格的良善。

「珍妮⋯⋯你想想辦法好嗎？」妍書和星彩的想法一致，兩人淚眼汪汪的凝視著珍妮。

「呱嗚⋯⋯」她們身後的恐龍也有樣學樣，多對閃爍的眼睛在請求珍妮幫助。

「既然已經失落第一名，那就不用拘泥於小節⋯⋯好吧！本小姐要打造一艘**挪亞方舟**！」鍊金術手套令珍妮看到無限可能，反正要製造出逃生船，載三人和載三十人也不過是大小的分別。

火山底部，一條小路直達火山正中央，本應停泊在此的逃生船已被韋恩小組帶走，但珍妮從筆記本知道兩件重要的信息。

船的設計圖，還有能承受火山爆發的特殊物料。

「星彩，礦石愈多愈好！妍書，指揮恐龍搬運礦石過來！」珍妮的兩隻手套閃耀**奪目金光**，把全部精神力用在眼前的作業上。

星彩靠「**超凡動力鞋**」的力量快速採集岩壁上的紫色礦石……

妍書透過「**神秘生物圖鑑**」和恐龍溝通，
珍妮再以「**鍊金術手術**」改變礦石的形態來建
構方舟，三人充分發揮道具的力量以求擺脫困境。

「**累死我了……**」筋疲力盡的星彩癱坐地上。

「珍妮，地震又再加劇，下一次火山爆發快要開始。」妍書引領恐龍登上方舟。

「星彩你還在發呆？快上船呀！」珍妮準備就緒，現在萬事俱備，只欠星彩。

「啊……馬上就來！」激烈晃動的地面出現裂痕，星彩連發動道具的精神力也耗盡了。

「要開始了！」妍書**心急如焚**，走向方舟的唯一一條小路也斷裂了。

只差一點點！

前無去路，星彩唯有孤注一擲全力跳躍。

珍妮伸出的手**近在咫尺**，但彈跳力不足的星彩只能眼白白看著距離逐漸變遠。

「吼——」珍妮的手不夠長，但蛇頸龍及時趕到，一口咬住星彩的衣服把她提起。

星彩剛好趕上在火山爆發前登船，礦石方舟借助爆發的衝力急速上升，把她們送上代表終點的極光。

「哈哈，我還以為這次死定了……」幸好星彩堅持帶同恐龍們一起離開，不然她已掉入熔岩中。

「這旅程雖然險象環生，但也不枉此行呢。」雖然被韋恩捷足先登，但珍妮沒有感到失落。

「最重要的是……我們能齊齊整整完成任務嘛。」妍書主動拉起珍妮和星彩的手，這趟地心之旅，她們各有收穫。

「**你們看看，這天空多漂亮。**」
星彩抬頭仰望，被極光包圍的美景只有越過重重難關、堅持不懈的挑戰者能擁有。

「星彩，謝謝你。」阿爾法說。

「謝謝？為什麼？」星彩問。

「謝謝你讓我看見**人性美好**的一面。」
阿爾法的致謝，也是恐龍們的心聲。

任務完成，地心世界的探索之旅圓滿結束，
星彩等人脫下虛擬眼鏡回到現實，等待成績公佈。

「大家表現得很好，第一次進行元域探索就
能完成任務的隊伍也很多；被淘汰的小組不用失
望，你們還有四次探索的機會追回落後的分數。」
費安娜教授十分滿意。

「**終於回到現實世界了**……」星彩
覺得意猶未盡。

「原來我們是最後回來的一組。」珍妮略顯失望。

「不要緊，下次我們一定能追回落後的分數。」妍書對未來充滿期待。

「首先公佈的，是第三名的小組，由蔡京華、白秀樹和洪可妮奪得。」大屏幕上顯示出京華小組的分數，除了以較前名次順利離開所獲得的分數之外，他們照顧其他小組的表現，亦獲得額外加分獎勵。

「令人意外的是，第一和第二名獲得的總分數相同，但考慮到離開地心世界的順序，所以這次元域探索的冠軍得主，是韋恩、司馬流星和李愛夢所屬的小組。」韋恩小組榮獲第一並不令費安娜意外，出人意表的是第二名的表現。

大屏幕上，兩個小組的得分並列在一起，他們竟是最先和最尾衝過終點的小組。

「**我們……得到第二名？**」珍妮不敢相信自己的眼睛。

「我們有很多額外加分啊！」每拯救一隻恐龍也獲得額外加分，星彩的無心善舉得到豐富的回報。

「教授，我認為評分機制有欠公允，如果知道額外加分的內容，我們一定能獲得更高分數。」流星對這結果感到不滿。

「元域探索最講求的是想像力和冒險精神，如果為了分數而採取行動，這不過是把答案填滿試卷的填充題，並不是元域學院想給學生的試煉。」費安娜教授解釋，韋恩小組太注重於正確和效率，相比之下星彩小組不怕犯錯，勇敢創新的精神更符合學院期望。

「且慢，費安娜教授，星彩小組的加分項目還有遺漏。」阿爾法說。

「不可能，整個冒險課程全程記錄在系統內，**人工智能**的計算不會出錯。」費安娜教授說。

「星彩，請打開背包。」阿爾法說。

系統的而且確計算了所有恐龍的分數，但就連星彩自己也忘記了一件事。

「啊！還有三隻雞蛋啊。」星彩在地心世界帶回來的不是雞蛋，而這些蛋已來到孵化的時刻。

「笨蛋……這些是恐龍蛋啊！」

珍妮喜出望外，三隻恐龍嬰兒破殼而出。

加上三隻恐龍嬰兒的分數後，更新結果呼之欲出，星彩小組雖然最尾衝線，但以最高分數奪得第一名。

「這結果實在令人意外，恭喜你們得到第一名。」費安娜微笑拍手。

學生突破規範預期，才是元域學院想看到的結果。

「我們得到 ★ **第一名** ★ 了，這全都是星彩的功勞呀。」妍書抱緊星彩說。

「哈哈……是我的功勞嗎？」星彩迷迷糊糊的傻笑著，沒有感受到勝利的真實感。

「**贏了……哈哈哈哈！**」一切都在本小姐的計算之內，就算韋恩你們使用了下三流的手段，還是敵不過我們！」珍妮不忘狠狠嘲諷對手。

「她們真的很討厭……」小愛不甘心的說。

「不要緊，下次搶回第一名就行了。」韋恩一臉不在乎，在五場比賽過後勝負才真正分曉。

比起今天的勝負，韋恩更在意另一件事，在所有學生都回到宿舍房間的晚上，韋恩敲響了星彩小組的房門。

「怎麼了？不服氣嗎？」打開房門的珍妮囂張的問。

「我有問題想問你們。」韋恩神情嚴肅。

「什麼問題？」妍書和星彩一臉好奇。

「你們在岩洞見到的幽靈……是她嗎？」韋恩在手機上展示的相片，是他和一個長髮女生的合照。

「沒……沒錯。」膽怯的妍書點頭回應。

「我和你們失散的時候，也好像見到這女孩呢。」星彩回想起那喚醒她的女生。

「真的……沒有欺騙我？」女生是對韋恩十分重要的人，重要得知道女生的存在後，他不禁眼泛淚光。

虛擬會議室內，地心世界的冒險直播圓滿結束，會議室只餘下安德森院長和韋恩的父親。

「韋將軍，滿意我們的研究成果嗎？」安德森問。

「這問題待我命人實際考察過再回答你，下一場元域探索準備得如何？」韋將軍命令了軍隊帶齊裝備前往現實世界中的冰島。

　　元域探索不是單純的**學術研究**，也是對人類未來發展的一場重要實驗。

　　「已經準備得七七八八了，由格列佛發現的異域國度，就是下一個舞台。」安德森結束了虛擬會議。

　　《格列佛遊記》是由英國作家，喬納森·斯威夫特創作的一部幻想遊記，下一場的虛擬大冒險，將會在這遊記中最膾炙人口的國度中進行。

END

第一次冒險完

下回預告

元域冒險之旅的下一站，是改編自《格列佛遊記》中的奇幻世界，星彩等人將會在大人國與小人國中進行驚險刺激的大冒險。

2023 年冬季出版

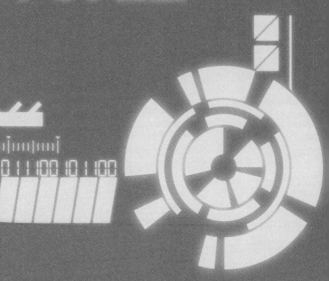

創造館

花樣

文——陳四月
圖——余遠鍠
經已出版

文——陳四月
圖——多利
經已出版

寫下你所共鳴的

青春與成長的模樣

青少年圖文小說

放學時意外得到三界之力
就順便保衛校園吧

文——三聯幫牟中三
圖——力奇

經已出版

推理比公主

文——卡特
圖——魂魂Soul

經已出版

不小心我的青春風起雲湧

文——謝鑫
圖——Mimi Szeto
（司徒恩翹）

七月書展出版

在 AI 創作攻佔世界之前，

就讓我們以人類作者的一字一句

and 人類畫家的一筆一劃

寫下最真摯最人性的青春故事！

請繼續支持香港本地作與畫啊！

創造館
★ CREATION CABIN

作者	陳四月
繪畫	多利
編輯	小尾
策劃	余兒
封面設計	faminik
內文設計	siuhung
出版	創造館有限公司
	荃灣美環街 1-6 號時貿中心 6 樓 4 室
電話	3158 0918
發行	泛華發行代理有限公司
	香港新界將軍澳工業邨駿昌街七號二樓
印刷	高科技印刷集團有限公司
出版日期	2023 年 7 月
ISBN	978-988-76569-3-7
定價	$68
聯絡人	creationcabinhk@gmail.com

本故事之所有內容及人物純屬虛構，
如有雷同，實屬巧合。